DBD

Peter Kelder

SECRETS DE JEUNESSE ÉTERNELLE

avec
les 5 tibétains

Titre original : *Ancient Secret of the Fountain of Youth*
published by Harbor Press, Gig Harbor, WA 98335 / USA

CH-1225 Chêne-Bourg/Genève
ISBN : 2-88058-091-9

Couverture : Pascale Carrier

ISBN : 2-88058-252-0

Peter Kelder

SECRETS DE JEUNESSE ÉTERNELLE

avec
les 5 tibétains

CET OUVRAGE EST UNE ÉDITION DÉRIVÉE
DE "LES CINQ TIBÉTAINS".
CE TITRE EST DISPONIBLE CHEZ LE MÊME ÉDITEUR,
EN ÉDITION INTÉGRALE,
AU FORMAT 13,5 CM X 20,5 CM.

SOMMAIRE

INTRODUCTION

Vieillir, est-ce une fatalité inéluctable ?

Devons-nous accepter que notre corps peu à peu s'ankylose, s'encrasse et se détériore de plus en plus ? Non ! Notre organisme a été construit pour s'auto-réparer sans cesse.

Il est en fait inusable, pour autant que nous sachions le traiter avec soin. Cela ne signifie pas que nous ne mourrons jamais ! Mais pourquoi mourir malade ? Pourquoi ne pas quitter un jour un corps en pleine forme pour aller explorer de nouveaux mondes, vivre de nouvelles aventures ? Rien ne nous oblige à quitter un corps en mauvais état, sinon les habitudes nocives avec lesquelles nous faisons le lit de la maladie et de la dégénérescence.

Ce livre dévoile quelques-uns des secrets qui permettent de faire régner dans sa vie quotidienne vitalité et jeunesse, quel que soit l'âge que l'on a et le pays dans lequel l'on vit.

Les Éditions Vivez Soleil ont toujours eu à cœur de publier des livres présentant des moyens simples qui permettent de maintenir ou de retrouver santé et bien-être. C'est la raison pour laquelle nous sommes heureux d'éditer ce livre qui vous apporte les fruits d'une sagesse millénaire faciles à mettre en pratique. Dans la première partie, découvrez, avec le colonel Bradford, ces merveilleux rites que les lamas se transmettent de génération en génération et consacrez-leur quelques minutes par jour... Vous verrez, comme des milliers de gens l'ont vu ou expérimenté avant vous, votre niveau d'énergie augmenter, vous verrez disparaître fatigue et mal-être, mauvaise humeur et tous ces petits maux désagréables que certains pensent être la rançon inéluctable de la vie moderne.

Ces rites sont complétés, dans la deuxième partie du livre, par des commentaires du docteur Christian Tal Schaller et par une bibliographie d'ouvrages décrivant d'autres moyens, techniques et exercices permettant d'accroître la santé et la longévité.

Vous aurez la satisfaction de découvrir que les solutions à nos problèmes résident, le plus souvent, dans des moyens extrêmement simples. En effet, de petits changements de la vie quotidienne suffisent pour apprendre peu à peu à cesser de subir et de vieillir pour accroître sans cesse son capital-santé, s'épanouir et rajeunir.

Il n'est pas difficile d'apprendre à être en bonne santé et de découvrir les secrets du bonheur et de la créativité. Il suffit de devenir l'artisan de sa propre vie au lieu d'être de ceux qui se plaignent de leurs problèmes, mais attendent que les solutions viennent des autres.

Pratiquez les rites des lamas tibétains... osez modifier votre mode de vie... soyez à l'écoute de vous-même... votre corps vous en saura gré... votre vie prendra une nouvelle tournure. Dynamisme, bien-être et joie de vivre seront vos amis de chaque instant et votre entourage sera stupéfait de votre transformation !

Préface

de l'édition américaine

Ce livre, merveilleusement simple, ne s'adresse pourtant pas à tout le monde. Vous devriez le lire seulement si vous acceptez l'idée, apparemment absurde, que le processus de vieillissement peut être renversé et si vous osez croire que la "Fontaine de Jouvence" existe vraiment. Si vous vous attachez opiniâtrement aux préjugés que ces choses-là sont impossibles, lire ce livre vous fera perdre votre temps. En revanche, si accepter "l'impossible" est dans vos cordes, alors attendez-vous à d'abondantes récompenses.

A ma connaissance, le livre de Peter Kelder est la seule source écrite au sujet de cette inestimable information : cinq rites tibétains anciens qui sont la clé d'une jeunesse durable, de la santé et de la vitalité. Pendant des millénaires, ces rites apparemment magiques ont été gardés secrets dans des monastères retirés de l'Himalaya. Ils ont été pour la première fois portés à la connaissance du monde occidental dans le livre de M. Kelder, publié il y a presque cinquante ans. Depuis, ce livre, ainsi que son précieux contenu, sont tombés dans l'oubli. Le but de cette édition révisée est de rediffuser le message de M. Kelder en espérant qu'il aidera et influencera de nombreuses personnes.

Il est impossible d'affirmer si l'histoire du Colonel Bradford est basée sur des faits, de la fiction ou un mélange des deux, mais cela n'influence aucunement la qualité du message. Ma propre expérience, ainsi que les lettres et notes reçues des lecteurs du monde entier me prouvent, à ma grande satisfaction, que ces cinq rites sont vraiment efficaces ! Je ne peux pas vous garantir qu'ils vous rajeuniront de cinquante ans en l'espace d'une nuit ou qu'ils vous assureront de vivre jusqu'à cent vingt-cinq ans. Mais je sais qu'ils peuvent contribuer à ce que vous vous sentiez et paraissiez plus jeune, et à augmenter votre sensation de bien-être. Si vous pratiquez ces rites tous les jours, vous devriez constater une amélioration en trente jours au moins. En dix semaines environ, vous remarquerez certainement des changements plus importants. Mais qu'importe l'allure de vos progrès, c'est toujours un moment merveilleux quand vos amis commencent à remarquer que vous avez l'air plus jeune et en pleine forme.

En considérant l'efficacité de ces cinq rites, nous pouvons nous demander comment ils agissent. Comment des exercices si simples peuvent-ils avoir un si grand effet sur le processus de vieillissement du corps humain ? Il est intéressant de noter que les explications de M. Kelder, que vous allez lire plus loin, ont été confirmées par certains progrès scientifiques récents. En effet, la photographie Kirlian, qui démontre que le corps est entouré d'un champ magnétique ou « aura », suggère que nous sommes « nourris » par une sorte d'énergie en provenance du cosmos. Il est vrai que l'aura d'une personne jeune et en bonne santé, vue par la photographie Kirlian, est différente de celle d'une personne âgée et malade.

Pendant des millénaires, les mystiques orientaux ont soutenu que le corps possède sept centres d'énergie qui correspondent à sept glandes endocrines. Les hormones sécrétées par ces glandes règlent toutes nos fonctions corporelles. La recherche médicale a récemment découvert l'importance des hormones dans le processus de vieillissement. Il est apparu que la glande pituitaire commence à produire une « hormone de la mort » au début de la puberté. Cette « hormone de la mort » diminue apparemment la capacité de nos cellules à bénéficier d'autres hormones telle que l'hormone de la croissance. Par conséquent, nos cellules et organes se détériorent petit à petit pour finalement mourir. En d'autres mots, vous êtes victime du processus de vieillissement.

Si, en effet, les cinq rites normalisent le déséquilibre des sept centres d'énergie, comme l'affirme M. Kelder, peut-être le déséquilibre hormonal se normalise-t-il également ? Cela permettrait à nos cellules de se diviser et de prospérer comme elles le faisaient quand elles étaient très jeunes. Ainsi nous pouvons effectivement nous sentir et paraître plus jeunes jour après jour.

Vous pouvez ne pas être d'accord avec le point de vue qui précède, mais à la lecture de ce livre vous trouverez certainement d'autres éléments d'accord ou de désaccord. Ce qui est important est de ne pas vous laisser distraire par ces différends et d'accepter les bénéfices que vous tirerez de la pratique des cinq rites. Il n'y a qu'un moyen de vérifier si les cinq rites sont efficaces : essayez ! Essayez-les et donnez-leur une chance.

Comme dans toute récompense, vos bénéfices seront à la hauteur de vos efforts. Il est important de vouloir investir un peu de temps et d'énergie et d'effectuer les cinq rites quotidiennement. Si, après quelques semaines de pratique, votre intérêt diminuait et que vous ne les pratiquiez qu'occasionnellement, ne vous attendez pas à d'importants résultats. Heureusement, la plupart des personnes trouvent cette routine quotidienne non seulement facile mais très agréable.

En pratiquant ces cinq rites, n'oubliez pas deux choses très importantes. D'abord, sachez que vous êtes une personne merveilleuse et extraordinaire, qui peut voir au-delà des préjugés et des pensées limitées des autres, sinon vous n'auriez pas été attiré par la lecture de ce livre. Ensuite, sachez que vous méritez pleinement que vos désirs les plus chers se réalisent, même s'il s'agit de vitalité et d'une nouvelle jeunesse. Ceux qui se sont intimement convaincus d'être sans mérite ou indignes de toute chose sont les mêmes qui semblent n'avoir jamais de chance dans la vie.

Si vous vous tenez en estime, si vous considérez que vous êtes une personne qui mérite ce que la vie peut offrir de mieux, alors vous vous aimez. S'aimer permet de bien se sentir dans sa peau, ce qui active déjà le processus de renouvellement.

Ceux qui ne s'aiment pas ou se désapprouvent portent un lourd fardeau qui ne peut qu'accélérer les ravages de la vieillesse et de la maladie, mais pour ceux qui possèdent l'immense trésor de l'amour de soi, tout est possible.

SECRETS TIBÉTAINS DE JEUNESSE ET DE VITALITÉ

Première Partie

Le Colonel Bradford

Un après midi, alors que j'étais assis au « Club des Voyageurs », où j'étais entré pour fuir une averse, j'entamais une conversation avec un personnage fort intéressant. Je ne m'en rendis pas compte tout de suite, mais notre rencontre allait changer ma vie. C'était un homme d'un certain âge, probablement à la fin de la soixantaine, et à qui l'on donnait bien son âge. Il était mince et marchait avec peine, en s'appuyant sur une canne. Il m'expliqua qu'il était officier, retraité de l'armée britannique, et qu'il avait travaillé dans la diplomatie. Il y avait certainement bien peu d'endroits sur la planète auxquels le colonel Bradford - c'était son nom - n'avait pas rendu visite une fois ou l'autre au cours de son existence. Je fus captivé de l'entendre raconter quelques-unes de ses aventures de voyage : inutile de dire que je passai un après-midi fort intéressant à l'écouter... Nous nous sommes rencontrés par la suite de temps à autre et avons eu ensemble de longues discussions. Plusieurs années se sont écoulées depuis.

Lors de l'une de nos rencontres, le colonel Bradford me signala qu'il tenait à me communiquer quelque chose d'important. En utilisant le tact et la diplomatie qu'il avait acquis, il me raconta que lorsqu'il était en Inde, quelques années auparavant, il était entré en contact avec les habitants d'une région reculée de ce pays. Ces personnes appartenaient à un groupe de lamas du Tibet et avaient apparemment découvert la fontaine de jouvence. Les gens parlaient d'eux comme d'hommes âgés ayant mystérieusement retrouvé santé, jeunesse, vigueur et virilité quelque temps après être entrés dans la lamaserie ; cependant personne ne savait où se situait exactement cette lamaserie. Comme beaucoup d'autres, le colonel Bradford avait vieilli au fil des années et, plus il entendait parler de cette fontaine de jouvence, plus il acquérait la conviction que cette lamaserie devait exister. Il commença à collecter des informations pour localiser l'endroit et son désir d'y aller grandit au fil des années. Il était, me disait-il, déterminé à retourner aux Indes pour trouver ce lieu et souhaitait que je l'accompagne dans son voyage. J'étais convaincu de la véracité de son récit et tenté d'y aller avec lui mais, finalement, décidais de ne pas le faire. Il partit bientôt : je me consolais de ne pas l'accompagner en me disant que chacun devait se résigner à vieillir et que le colonel avait peut-être tort de tenter d'essayer de trouver cette fontaine de jouvence qui lui permettrait de retrouver jeunesse et santé. Néanmoins, je souhaitais vivement qu'il puisse parvenir à ses fins.

Le Retour du Colonel

Les mois passèrent. Dans l'agitation de ma vie quotidienne, le colonel Bradford et son espoir chimérique disparurent peu à peu de ma mémoire, aussi fus-je étonné de trouver un jour dans mon courrier une lettre manuscrite du colonel. Il était toujours vivant et me disait que, malgré de nombreuses difficultés, il était sur le point de trouver la lamaserie qu'il cherchait. La lettre ne portait aucune adresse. De nombreux mois s'écoulèrent avant que j'entende à nouveau parler de lui. Cette fois-ci, il m'annonçait de bonnes nouvelles : il avait trouvé la fontaine de jouvence ! Il me disait qu'il allait revenir aux États-Unis dans les mois suivants.

Il s'était passé près de quatre ans depuis notre dernière rencontre. Je me demandais s'il avait véritablement changé. Il serait en tout cas plus âgé, mais, peut-être avait-il réussi à ne pas devenir plus chauve ou à ne pas se voûter davantage. Peut-être que cette fontaine de jouvence avait pu véritablement l'aider. Dans mon esprit, je ne pouvais me le représenter que comme il était lors de notre dernière rencontre, voire de l'imaginer un tout petit peu plus âgé qu'il n'était alors.

Un soir, alors que j'avais décidé de rester à la maison et de lire, le téléphone sonna. Un nommé colonel Bradford désire vous voir, annonça la concierge. « Envoyez-le moi », criai-je et, repoussant mon livre, je me précipitais vers la porte. Je fus très troublé : la personne qui était en face de moi n'était pas le colonel Bradford, mais quelqu'un de beaucoup plus jeune. Remarquant ma surprise, l'homme me dit : « Ne m'attendiez-vous pas ? » « Non, avouai-je, j'attendais la visite d'un vieil ami, le colonel Bradford. » « Je suis venu vous donner des nouvelles du colonel Bradford », répondit-il. « Entrez donc », l'invitai-je. « Permettez-moi de me présenter », dit l'étranger en s'avançant, « mon nom est Bradford. ». « Oh, vous êtes donc un fils du colonel Bradford ! » m’exclamais-je ; « vous lui ressemblez quelque peu ». « Non, je ne suis pas son fils », répondit-il, « je ne suis personne d'autre que votre vieil ami, le colonel Bradford, le vieil homme qui est parti pour l'Himalaya ! » Je restais stupéfait en entendant cela.

Puis, peu à peu, je m'aperçus qu'il s'agissait bien du colonel Bradford, mais qu'un changement était survenu dans son aspect physique. Au lieu d'un homme voûté, s'appuyant sur une canne, j'avais en face de moi un être en pleine force de l'âge, droit, robuste, plein de vitalité. Lui qui grisonnait auparavant n'avait plus un seul cheveu blanc. Mon enthousiasme et ma curiosité ne connurent plus de limite et je le pressais de questions. « Attendez un instant, protesta-t-il en riant, je vais commencer par le commencement. » Et il me raconta son histoire.

En arrivant aux Indes, il était parti pour ce district dont il avait entendu parler. Il passa là de nombreux mois, se familiarisant avec les gens du pays et récoltant des informations concernant la lamaserie qu'il recherchait. Ce fut un processus qui prit du temps, mais son opiniâtreté et sa conviction l'amenèrent finalement à l'endroit auquel il croyait. La façon dont le colonel Bradford fut admis dans la lamaserie ressemble à un conte de fées. Je regrette de ne pouvoir, faute de temps et d'espace, narrer toutes les expériences, les pratiques des lamas, leur culture et leur complète indifférence pour les affaires de ce monde.

Il n'y avait, dans cette lamaserie, pas de « personnes âgées », comme nous l'entendons ici. A sa grande surprise, les lamas considérèrent le colonel Bradford comme un personnage rare, car il y avait longtemps qu'ils n'avaient pas vu quelqu'un ayant l'air aussi âgé. C'est pourquoi, ils l'appelèrent « l'ancien ». Pendant les deux premières semaines de mon séjour, dit le colonel, j'étais comme un poisson hors de l'eau. Je m'émerveillais de tout ce que je voyais et le plus souvent, je pouvais à peine en croire mes yeux. Je me suis très rapidement senti physiquement mieux, dormant merveilleusement bien chaque nuit et n'utilisant ma canne que pour marcher dans les montagnes. Un mois après mon arrivée, j'eus la plus grande surprise de ma vie : ce fut le jour où j'entrai pour la première fois dans une sorte de bibliothèque où les lamas gardaient d'anciens manuscrits. Au bout de cette bibliothèque se trouvait un grand miroir, et il y avait bien deux ans que je n'avais plus vu ma propre image dans un miroir. Je m'en approchai avec une grande curiosité et je fus stupéfait du changement qui était survenu. Il semblait que j'avais rajeuni d'au moins quinze ans. Le titre « d'ancien » ne me convenait plus du tout et les lamas ne l'utilisèrent plus.

« La première chose que j'appris en entrant dans la lamaserie fut celle-ci : le corps a sept centres que l'on peut appeler vortex ou "tourbillons d'énergie", des sortes de centres magnétiques qui tournent à grande vitesse dans le corps d'une personne en bonne santé, mais qui ralentissent en cas de mauvaise santé ou de sénilité. Ces centres d'énergie rayonnent au-delà des limites de la peau chez un individu en bonne santé mais, chez une personne âgée ou faible, ils atteignent à peine la surface du corps. Le moyen le plus rapide pour retrouver santé, jeunesse et vitalité est de remettre en mouvement ces centres magnétiques. Il existe cinq exercices permettant de le faire. Chacun d'entre eux, fait isolément, est utile, mais il est idéal de pratiquer les cinq ensemble. Ce ne sont pas à proprement parler des exercices de culture physique, mais bien, d'après le nom que leur donnent les lamas, des sortes de rites. »

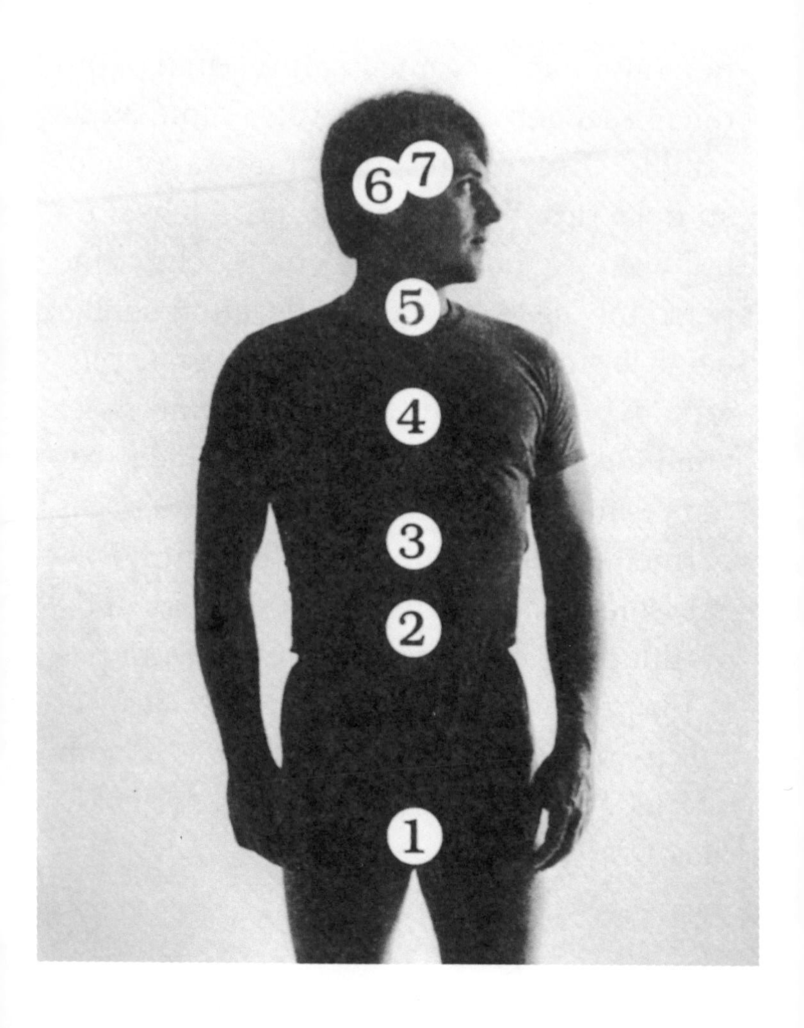
6
7
5
4
3
2
1

Premier Rite

« Le premier rite, continua le colonel, a pour but d'augmenter la vitesse de l'énergie du corps, et tous les enfants du monde l'utilisent dans leurs jeux.

Premier rite

Il s'agit, pour cela, de se tenir debout en tendant les bras horizontalement dans le prolongement des épaules, puis de tourner sur soi jusqu'à avoir une sensation de léger vertige. Il y a une seule précaution à prendre : il faut tourner de gauche à droite. En d'autres termes, si vous placez une montre sur le plancher en face de vous, vous devez tourner dans le sens des aiguilles de la montre en marquant la fin de chaque tour par un ralentissement.

« Au début, un adulte normal sera capable de tourner environ une demi-douzaine de fois avant de commencer à ressentir une sensation de vertige qui lui donnera envie de s'asseoir ou de s'allonger, et c'est exactement ce qu'il faut faire après cet exercice. Il s'agit de pratiquer ce rite jusqu'au moment où l'on ressent une impression de léger vertige.

Au fur et à mesure qu'on le pratique, l'énergie du corps s'accroît et on peut faire le mouvement un plus grand nombre de fois.

« En Inde, je fus fort étonné de voir des "derviches-tourneurs" capables de tournoyer sur eux-mêmes à une très grande vitesse et ce rite me rappela leur pratique. Je me souvins en particulier que les "derviches" tournaient toujours dans le sens des aiguilles de la montre, c'est-à-dire de gauche à droite, et que ces hommes, quel que soit leur âge, étaient robustes et pleins d'énergie. Je parlai de cela aux lamas ; ils m'apprirent que les mouvements pratiqués par les "derviches-tourneurs" pouvaient être très bénéfiques, mais néanmoins avoir un effet dévastateur s'ils étaient pratiqués avec excès. En effet, une stimulation trop forte des centres d'énergie du haut du corps cause une sorte d'état de transanse psychique que certains "derviches" prennent pour une expérience spirituelle ou religieuse, mais qui peut entraîner un affaiblissement des forces vitales. Il s'agit donc, continua le colonel, de ne pas pratiquer cet exercice de façon excessive. Nous pouvons en obtenir les plus grands bienfaits en le pratiquant moins de 12 fois, assurant ainsi une stimulation équilibrée des centres d'énergie. »

Deuxième Rite

« Ce rite est encore plus simple que le premier. » Il s'agit simplement de s'allonger sur le dos, sur le plancher ou sur un lit. Si l'on pratique ce rite sur le sol, on utilisera un tapis ou une couverture pliée plusieurs fois pour que le corps ne soit pas en contact avec un sol trop froid. Les lamas utilisent des tapis de prière en laine qui les isolent du sol. Les mains sont placées de chaque côté du corps, paumes à plat contre le sol,

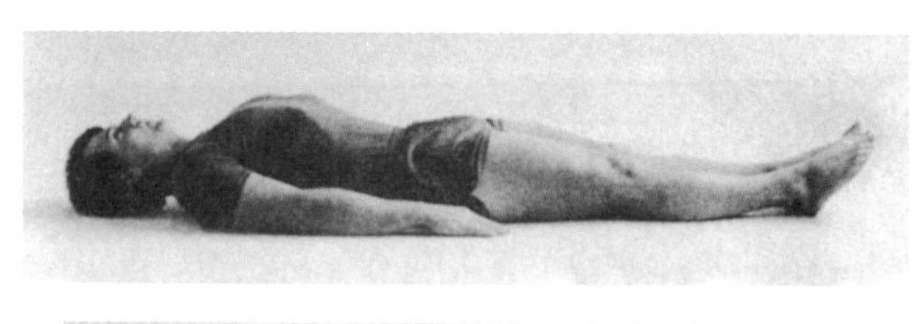

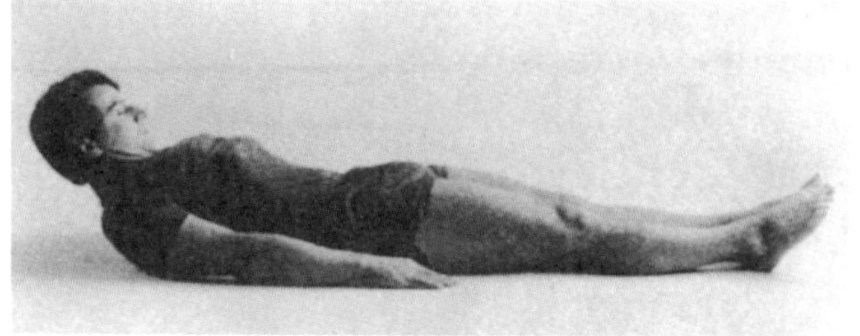

Deuxième Rite

chaque main étant légèrement tournée en direction de l'autre. On soulève ensuite les jambes tendues jusqu'à la verticale. Si possible, on poursuit le mouvement en direction de la tête, toujours sans plier les genoux, puis on redescend lentement les jambes tendues vers le sol et l'on se détend quelques instants avant de recommencer.

« Un lama me raconta que lorsqu'il essaya pour la première fois de pratiquer ce rite, il était si vieux, si faible et si décrépi qu'il ne pouvait même pas lever les membres droits. Il souleva les cuisses avec les genoux pliés et peu à peu fortifia ses jambes jusqu'à ce qu'après trois mois, il puisse les tendre à la verticale avec facilité. Ce lama était l'image de la perfection sur le plan de la santé et de la vigueur, bien qu'il fût plus âgé que moi. Pour le simple plaisir de l'exercice, il portait sur son dos un sac de légumes pesant plus de cinquante kilos depuis le jardin potager jusqu'à la lamaserie qui était assez éloignée. Il prenait son temps pour le faire, ne s'arrêtait jamais en chemin et semblait ne jamais se fatiguer. Je m'émerveillais de le voir faire, d'autant plus que, lorsque j'essayai à mon tour, je dus m'arrêter au moins une douzaine de fois. »

Troisième Rite

« Le troisième rite doit être effectué immédiatement après le deuxième. Il est également très facile à exécuter. Il s'agit de se mettre à genoux sur le tapis, en plaçant les mains le long des cuisses, puis d'incliner la tête aussi loin que possible en avant, en sorte que le menton prenne appui sur la poitrine. Ensuite, on se penche le plus loin possible en arrière en levant la tête et en tirant le menton aussi loin que possible vers l’arrière. On se penche à nouveau vers l'avant et on recommence. J'ai vu plus de deux cents lamas effectuer ce rite tous ensemble et, pour accroître leur concentration, ils l'effectuaient les yeux fermés. »

« Il y a plus de 2.500 ans que les lamas ont compris que tout ce qui est bon vient de l'intérieur de l'être humain, que tout élément de valeur a son origine dans l'individu lui-même. Les occidentaux n'ont jamais réussi à le comprendre parfaitement et ont toujours tendance à croire que les choses de valeur viennent de l'extérieur. Les lamas qui travaillent dans la lamaserie font un travail de grande valeur pour notre planète, un travail qui s'effectue sur le plan astral. C'est leur façon d'aider l'humanité en permettant aux vibrations de la planète de se maintenir à un niveau élevé. Le jour viendra où le monde s'ouvrira avec émerveillement à ces forces invisibles du

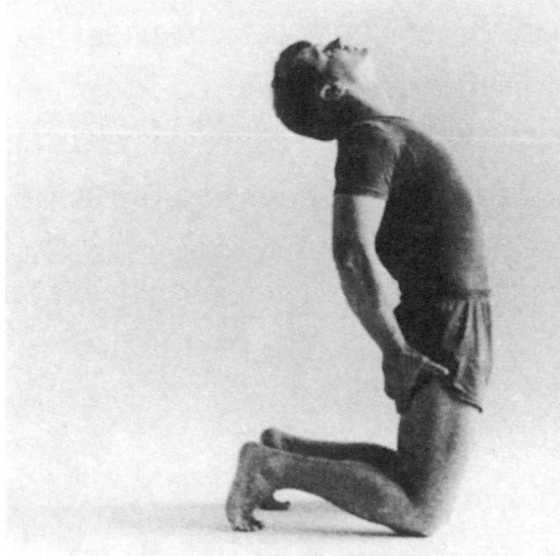

Troisième Rite

bien et à leur influence positive. Celui qui se prend en main peut devenir une nouvelle créature, d'une façon qui apparaît comme extraordinaire à la plupart des êtres humains. Les efforts des individus évolués créent une puissance irrésistible qui peut être utilisée par tous. Une nouvelle aurore est prête pour le monde et une nouvelle lumière est déjà là, mais c'est seulement par un travail individuel que l'on peut entrer en contact avec ces énergies. Les lamas, dans le secret de leurs lamaseries, préparent peu à peu des jours plus lumineux, ouvrant progressivement les esprits de ceux qui sont prêts à une conception plus élevée de la vie, afin que le monde devienne un endroit plus agréable à vivre. »

Quatrième Rite

« Le quatrième rite m'a semblé tout d'abord très difficile, mais après une semaine, il me fut facile de l'exécuter. Il s'agit de s'asseoir sur le tapis avec les jambes tendues, puis de placer les bras le long du corps en appuyant les mains sur le sol, de lever ensuite le corps du sol en pliant les genoux de sorte que les jambes soient verticales ainsi que les bras : le reste du corps, des genoux aux épaules, se

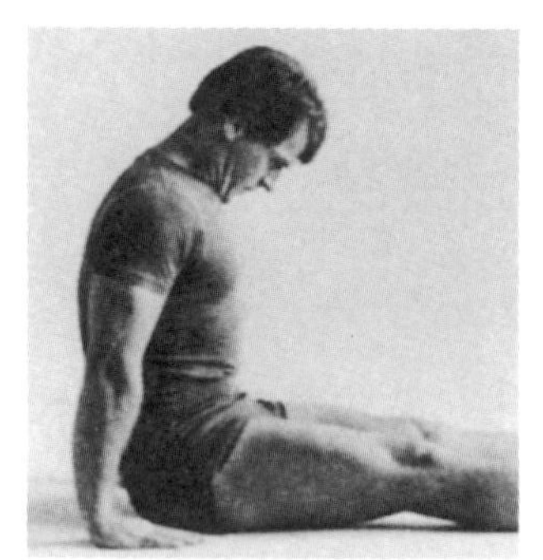

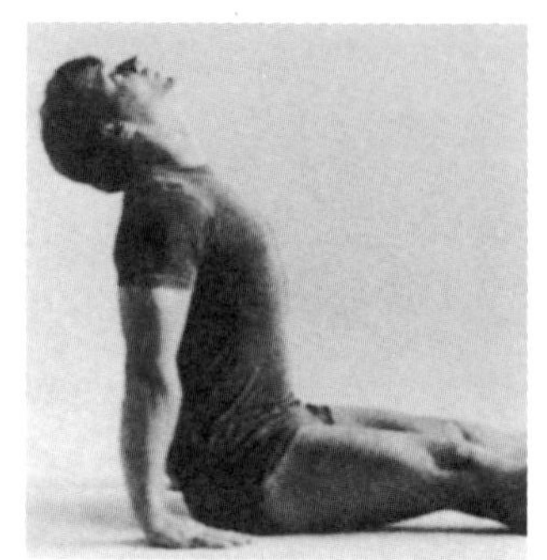

Quatrième Rite

trouvera alors à l'horizontale. Il faut mettre le menton bien au contact de la poitrine, puis, avant de lever le corps à l'horizontale, laisser tranquillement descendre la tête vers l'arrière aussi loin que possible. On revient ensuite à la position assise et on se relaxe quelques instants avant de répéter l'exercice. Dans la position horizontale, chaque muscle du corps est mis sous tension et ceci stimule les centres d'énergie. »

« Avant de quitter la lamaserie, continua le colonel Bradford, je voyageai dans diverses grandes villes des Indes où j'enseignai ces différents rites. Je m'aperçus que certaines personnes avaient tendance à croire que, si elles ne pouvaient pas d'emblée pratiquer parfaitement un rite, celui-ci ne leur ferait aucun bien. Il me fut parfois difficile de les convaincre de l'erreur qu'elles commettaient. En fait, il s'agit de faire de son mieux et d'observer la transformation qui s'effectue dans un délai d'environ un mois. Je me souviens d'une ville où un grand nombre de personnes âgées se décourageaient de ne pas arriver à accomplir ce quatrième rite. Elles étaient d'autant plus découragées qu'elles voyaient des gens plus jeunes parvenir à le faire facilement. Il me fallut demander aux plus jeunes de ne pas pratiquer l'exercice en face des plus âgées, afin qu'elles puissent progresser à leur rythme jusqu'à parvenir à effectuer cet exercice plus de cinquante fois de suite sans le moindre signe de fatigue, et ainsi d'excellents résultats purent être obtenus. »

Cinquième Rite

« La meilleure façon d'accomplir ce rite est de placer les mains sur le sol à une distance d'environ 60 cm, puis de tendre les jambes avec les pieds écartés également d'environ 60 cm, tête en arrière. On lève ensuite les hanches aussi haut que possible en s'appuyant sur les orteils et sur les mains, le menton en contact avec la poitrine, puis on laisse le corps revenir tranquillement à la position de départ, en remontant la tête et en la poussant vers l'arrière aussi loin que possible. Après quelques semaines, lorsque cet exercice est devenu facile à exécuter, on laissera le corps redescendre vers le bas sans toucher le sol. Ainsi, les muscles seront mis sous tension lorsque le corps est tendu vers le haut et, à nouveau, lorsqu'il est tendu vers le bas. En un peu plus d'une semaine, ce rite peut être pratiqué facilement par la plupart des gens. »

« Partout où je vais, continua le colonel, les gens ont tendance à prendre ces rites pour des exercices isométriques et il n'est pas facile de faire comprendre qu'ils ont plus de pouvoirs régénérateurs que de simples exercices de culture physique pratiqués plus longuement. »

Cinquième Rite

« En fait, ces rites mettent les vortex, ou centres d'énergie du corps, à leur vitesse d'activité normale, c'est-à-dire, à la vitesse qu'ils ont, chez une personne jeune, forte et en bonne santé, âgée d'environ 25 ans. Chez une personne plus âgée ou en mauvaise santé, un ou plusieurs de ces centres ralentit son mouvement. Plus le mouvement est lent, plus la partie du corps qu'il a sous contrôle commence à se détériorer, à dégénérer et à devenir malade. La seule différence entre la jeunesse et la vieillesse est simplement la différence de vitesse à laquelle tournent les centres d'énergie. Si l'on normalise ces différentes vitesses, les personnes âgées ne peuvent que rajeunir. »

« Pratiquez ces cinq rites tous ensemble car ils se complètent les uns et les autres et forment un tout. Ils doivent être pratiqués matin ou soir, ou matin et soir. Il est à remarquer que, si au début l'on pratique ces rites matin et soir, cela crée une stimulation qui peut perturber le sommeil. C'est pourquoi il est suggéré, pendant les premières semaines, de pratiquer les rites le matin seulement. Au début, je suggère de faire ces rites trois fois chacun la première semaine, puis cinq fois la deuxième et ainsi de suite les semaines suivantes, jusqu'à vingt et une fois par jour, à l'exception du premier rite que l'on fera un nombre indéterminé de fois jusqu'à l'apparition de la sensation de vertige. »

« Il y a deux choses importantes à ajouter : il est bon de se tenir debout, avant de commencer, les mains sur les hanches et de faire une ou deux respirations profondes. Après les exercices, prendre une douche tiède ou froide (en évitant une eau trop froide qui ferait frissonner) ou, à défaut, passer rapidement sur tout le corps une serviette humide puis se sécher. Il est également important de ne jamais sauter plus d'un jour par semaine. C'est tout. »

« La plupart des personnes qui l'essayent trouvent la pratique quotidienne des cinq rites facile et agréable, surtout lorsqu'elles commencent à constater leurs bienfaits. Après tout, les cinq rites ne vous prennent que 20 minutes et une personne en bonne forme physique n'aura besoin que de 10 minutes ou moins. Si vous n'arrivez vraiment pas à trouver le temps nécessaire, levez-vous un peu plus tôt le matin ou couchez-vous un peu plus tard le soir. »

« Les cinq rites permettent de redonner à n'importe quel organisme un état de fonctionnement parfait et une jeunesse sans faille. Pourtant, d'autres facteurs détermineront si votre apparence physique peut vraiment changer. Deux de ces facteurs sont la motivation et votre attitude mentale. »

« Vous avez probablement remarqué que certains ont l'air vieux à quarante ans tandis que d'autres rayonnent de jeunesse à soixante ans. Cette différence se situe au niveau de leur attitude mentale. Si vous vous voyez jeune, qu'importe votre âge, les autres vous verront de la même façon. Le jour où j'ai commencé à pratiquer les rites, je me suis efforcé mentalement d'effacer l'image de faible vieillard que j'avais de moi. J'ai ainsi recréé, dans mon esprit l'image que j'avais de moi dans la force de l'âge. Mon très fort désir m'a fourni l'énergie nécessaire. Voyez le résultat. »

« Pour beaucoup, cela peut représenter un exploit, simplement parce qu'ils considèrent impossible de se voir d'une autre façon. Ils sont convaincus que notre corps est programmé pour s'affaiblir et vieillir tôt ou tard. Cependant, après avoir commencé à pratiquer les cinq rites, ils se sentiront plus jeunes et plus énergiques, ce qui les aidera à changer leur façon de se voir eux-mêmes. Peu à peu, ils auront d'eux une image plus jeune et, par conséquent, les autres aussi remarqueront ce rajeunissement. »

« Mais il y a un autre facteur très important pour ceux qui souhaitent un rajeunissement plus spectaculaire encore. Il existe un rite complémentaire, le sixième rite, dont je vous parlerai plus loin. »

L'« Himalaya Club »

« Personne n'est vraiment libre
s'il est esclave de la chair »
Lucius Annaeus Seneca

Cela faisait trois mois que le colonel Bradford était revenu d'Inde et beaucoup de choses s'étaient passées. J'avais immédiatement commencé à pratiquer les cinq rites et les résultats me remplissaient de satisfaction. Le colonel était reparti pour s'occuper de ses affaires et je l'avais ainsi perdu de vue un certain temps. Quand il reprit finalement contact, j'étais impatient de lui raconter mes progrès et ma satisfaction quant à l'efficacité des cinq rites.

En effet, j'étais devenu si enthousiaste que je souhaitais ardemment partager les rites et leur bienfait avec d'autres personnes. Je demandai au colonel s'il accepterait de diriger un groupe. Il donna son accord, mais à trois conditions, la première étant que la classe devrait être composée d'hommes et de femmes de tous niveaux professionnels ; la deuxième, qu'aucun membre du groupe ne soit âgé de moins de cinquante ans. Le colonel insista beaucoup sur ce point, même si les rites se révèlent tout aussi bénéfiques pour des personnes plus jeunes. Il m'invita encore à trouver un centenaire qui serait d'accord pour participer. La troisième condition était la limitation du groupe à quinze participants. Ma déception était grande puisque j'avais envisagé un groupe bien plus nombreux. N'arrivant pas à convaincre le colonel, j'acceptai ses conditions.

Il ne me fut pas difficile de réunir un groupe qui remplissait toutes les conditions et la classe rencontra immédiatement un franc succès. Nous nous retrouvâmes une fois par semaine et, dès la deuxième semaine, j'eus l'impression que plusieurs membres progressaient. Cependant, le colonel nous avait prié de ne pas faire de commentaires quant à nos progrès. A la fin du mois seulement ma curiosité fut satisfaite, lors de la rencontre où chacun fut invité à communiquer ses expériences. Tous avaient fait des progrès. Chacun témoigna d'une amélioration, dont un homme de soixante-quinze ans qui avait accompli des progrès vraiment remarquables.

Les réunions hebdomadaires de l'« Himalaya Club », comme nous l'appelions, continuèrent. Après la dixième semaine, pratiquement tous les membres du groupe pratiquaient les cinq rites vingt et une fois par jour. Tous prétendaient non seulement se sentir de mieux en mieux, mais trouvaient aussi qu'ils avaient l'air plus jeunes. Plusieurs plaisantaient et confiaient qu'ils ne disaient plus leur âge véritable. Cela me rappela qu'au moment où nous voulions connaître l'âge du colonel, quelques semaines auparavant, il nous avait répondu qu'il nous donnerait la réponse à la fin de la dixième semaine. Le moment était donc arrivé, mais le colonel ne nous avait toujours pas dit son âge. Quelqu'un suggéra que chacun écrive sur un petit bout de papier l'âge qu'il donnait au colonel. L'idée fut acceptée et nous avions recueilli tous les petits papiers au moment où le colonel apparut.

Après que nous lui ayons expliqué ce que nous étions en train de faire, le colonel Bradford nous dit : « apportez-moi les papiers pour que je puisse les regarder. Je vous dirai ensuite mon âge. » Avec une voix amusée, il lut chaque papier. Tous avaient mentionné la quarantaine et généralement le début de la quarantaine.

« Mesdames et Messieurs, disait-il, je vous remercie de votre générosité et puisque vous avez été sincère avec moi, je le serai avec vous. J'aurai 73 ans à mon prochain anniversaire. »

Pendant quelques instants, tous le regardèrent, incrédules. Était-il possible qu'un homme de 73 ans donne l'impression d'en avoir un peu plus que la moitié ? Ensuite ils eurent l'idée de demander pourquoi le colonel avait obtenu des résultats tellement plus spectaculaires qu'eux.

« Tout d'abord, expliqua le Colonel, vous n'avez fait ce merveilleux travail que depuis dix semaines. Quand vous l'aurez accompli pendant deux ans, vous verrez un changement plus grand. Mais il y a autre chose. Je ne vous ai pas tout dit. »

« Je vous ai montré cinq rites qui ont pour but de vous redonner jeunesse, santé et vitalité. Ils vous aideront aussi à vous donner un aspect plus jeune. Mais pour retrouver radicalement l'apparence de la jeunesse, vous devez pratiquer un sixième rite. Je n'en ai pas parlé jusqu'ici puisqu'il aurait été inutile de le mentionner avant de vous faire ressentir les bienfaits des cinq premiers. »

Le colonel nous mettait en garde que, pour bénéficier des bienfaits du sixième rite, il fallait respecter une restriction sévère et il nous suggéra de réfléchir pour savoir s'il nous était possible de l'accepter pour le restant de nos jours. Il invita ceux qui voulaient connaître le sixième rite à assister à la réunion suivante. Après réflexion, seules cinq personnes du groupe revinrent la semaine d'après. Le colonel trouva ce nombre très satisfaisant, mieux qu'au cours de ses nombreuses classes en Inde.

Au moment de mentionner le rite additionnel, le colonel avait fait comprendre qu'il s'agissait d'élever l'énergie de reproduction du corps. Ce processus d'élévation a pour conséquence non seulement un renouvellement de l'esprit, mais du corps entier. Il avait aussi averti que cela imposerait une restriction que la plupart des gens n'accepterait pas. Le colonel continua son exposé.

« Dans la moyenne des hommes et des femmes une partie - souvent une très grande partie - de la force vitale qui nourrit les sept vortex (ou tourbillons d'énergie) est transformée en énergie de reproduction. Cette force vitale se dissipe pour la plupart dans le premier vortex. Elle a ainsi peu de chance d'atteindre les six autres. » « Pour devenir des surhommes ou des surfemmes, il s'agit de conserver cette énergie vitale et de l'élever de telle façon qu'elle atteigne tous les vortex, en particulier le septième. En d'autres mots, il est nécessaire de devenir célibataire pour que l'énergie de reproduction puisse être récupérée à une fin plus élevée. »

« Élever cette énergie vitale a l'air d'une simple affaire, mais les tentatives de l'Homme, à travers les siècles, n'ont généralement pas réussi. En Occident, plusieurs ordres religieux ont échoué en essayant de dominer cette énergie de reproduction. par la suppression. Il n'y a qu'un moyen de contrôler ce besoin puissant, qui est non pas la suppression, mais la transformation et l'élévation. De cette façon, vous aurez non seulement découvert l'« Élixir de Vie » tel que le nommaient les Anciens, mais surtout vous l'aurez mis en pratique, ce dont ils étaient en revanche rarement capables. »

« Ce sixième rite est la chose la plus facile à faire. Vous devriez le pratiquer uniquement au moment où vous sentez un excès d'énergie sexuelle que vous avez envie d'exprimer. Heureusement, le rite est si simple que vous pouvez le pratiquer n'importe où, et n'importe quand si vous en ressentez le besoin. »

Voici comment procéder.

« Debout, laissez lentement s'échapper tout l'air de vos poumons. Pendant cette longue expiration, pliez-vous en avant et mettez vos mains sur les genoux. Expulsez encore l'air qui reste et, les poumons ainsi

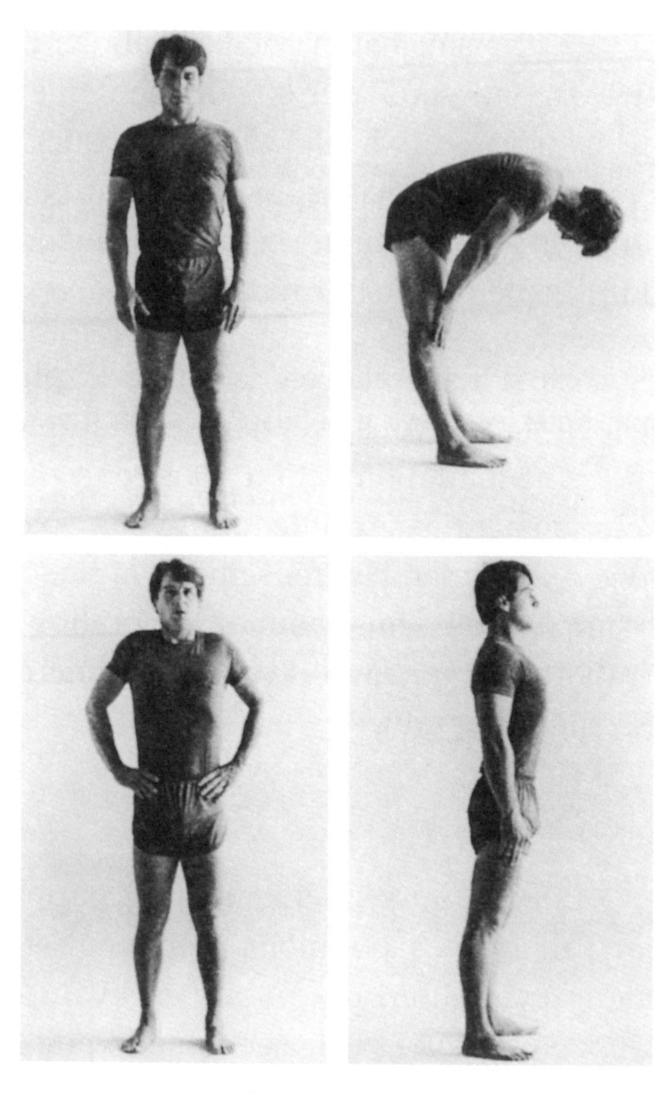

Sixième Rite

vidés, revenez à la position verticale. Posez vos mains sur les hanches et appuyez. Ceci soulèvera vos épaules. Pendant ce temps-là, rentrez le ventre le plus possible, en soulevant la poitrine. »

« Gardez cette position le plus longtemps possible. Vos poumons ayant besoin à nouveau d'air, inspirez profondément par le nez et expirez par la bouche. En expirant, détendez vos bras en les laissant tomber le long du corps. Respirez ensuite plusieurs fois profondément par le nez ou la bouche. Cela complète la pratique du sixième rite. Trois répétitions sont généralement nécessaires pour transformer l'énergie sexuelle et ainsi l'élever. »

« Il n'y a qu'une différence entre une personne pleine de vitalité, en bonne santé, et un surhomme ou une surfemme. La première transforme sa force vitale en énergie sexuelle. Les seconds élèvent cette énergie pour l'équilibrer harmonieusement dans leurs sept vortex. C'est pour cela qu'un surhomme ou une surfemme rajeunit chaque jour et à chaque instant. Ils créent en eux-mêmes le véritable "Élixir de Vie". »

« Maintenant vous comprenez que la « Fontaine de jouvence » était en moi depuis toujours. Les cinq rites - ou six, pour être plus précis - représentent la clé qui ouvre la porte. En repensant à Ponce de Leon et sa vaine recherche de "La Fontaine de Jouvence", je trouve que c'est vraiment dommage qu'il soit revenu les mains vides, après avoir été si loin dans sa quête. Il aurait pu atteindre son but sans jamais quitter sa maison. Mais, comme moi, il croyait que « La Fontaine de Jouvence » se cachait dans quelque coin retiré du globe. Il n'a pas soupçonné une seconde que ce qu'il cherchait se trouvait en lui, tout simplement. »

« Comprenez qu'il est absolument nécessaire, pour accomplir ce sixième rite, que la personne ressente une excitation sexuelle. Une énergie inexistante ne peut pas être transférée. Celui ou celle qui a perdu toute impulsion sexuelle ne pourra pas effectuer ce rite. Dans ce cas, il est déconseillé même de l'essayer afin d'éviter tout découragement. Cette personne, sans se soucier de son âge, devrait plutôt pratiquer d'abord les cinq autres rites pour retrouver une impulsion sexuelle normale. A ce moment-là, elle se posera la question si elle veut devenir un surhomme ou une surfemme. »

« Il est aussi fortement déconseillé de commencer le sixième rite sans motivation sincère. Une personne qui n'a pas atteint son épanouissement sexuel, et qui doit lutter pour ne pas succomber, n'est pas encore en mesure de transmuter et d'élever son énergie de reproduction. Dans ce cas, cette énergie mal dirigée sera transformée en conflits intérieurs. Le sixième rite est destiné uniquement à ceux qui ont atteint un épanouissement sexuel et qui sont sincèrement motivés pour aller vers d'autres buts. »

« Pour la grande majorité des gens, une vie de célibataire n'est pas le choix adéquat et elle devrait s'en tenir aux cinq premiers rites. Néanmoins, ceux-ci peuvent vous amener à reconsidérer vos buts et vous donner un désir authentique de devenir un surhomme ou une surfemme. A ce moment-là, il est important de décider d'une nouvelle vie et d'avancer sans hésiter, sans regarder en arrière. Ceux qui en ont la capacité sont en voie de devenir de vrais maîtres utilisant les forces vitales pour accomplir ce qu'ils désirent. »

« Mais je le répète, ne songez pas à élever votre impulsion sexuelle avant d'être préparé à abandonner vos besoins physiques, pour pouvoir bénéficier de cette récompense qui est la maîtrise suprême. Alors, celui ou celle qui fera le pas, verra tous ses efforts couronnés de succès. »

La Nourriture

Pour rallonger la vie,
diminuez les repas.
Benjamin Franklin

A partir de la dixième semaine, le colonel Bradford n'assistait plus à toutes les réunions, mais gardait néanmoins un grand intérêt pour l'« Himalaya Club ». De temps à autre, il s'adressait au groupe en abordant des sujets aussi variés qu'utiles et, occasionnellement, quelques membres du groupe lui posaient des questions plus précises. Plusieurs d'entre nous, par exemple, étaient particulièrement intéressés par le rôle extrêmement important que la nourriture joue dans notre société. Les points de vue divergeaient, ce qui nous a décidé à demander au colonel Bradford de nous décrire la nourriture des lamas ainsi que leur ligne de conduite en ce qui concerne l'alimentation en général.

La semaine suivante le colonel nous expliquait : « Dans ce monastère de l'Himalaya, où j'étais un néophyte, ni l'alimentation, ni la quantité suffisante de nourriture ne représentaient un problème. Chacun des lamas effectue sa partie de travail pour produire le nécessaire. Tout ce travail est réalisé de la façon la plus primitive. Même le sol est labouré manuellement. Bien sûr, ils pourraient utiliser des bœufs et des charrues, mais ils préfèrent le contact direct avec le sol. Ils ont le sentiment que travailler la terre ajoute grandement à l'existence de l'Homme. Personnellement je l'ai ressentie comme une expérience entièrement satisfaisante, qui a contribué à cette sensation d'unité avec la nature. »

« Il est vrai que les lamas sont végétariens, mais pas trop stricts. Ils utilisent œufs, beurre et fromage dans les quantités nécessaires pour assurer certains fonctionnements du cerveau, du corps et du système nerveux. En revanche, ils ne mangent pas de viande parce que les lamas, vigoureux, en bonne santé et pratiquant le sixième rite, n'ont nullement besoin d'absorber viande, poisson ou volaille. »

« La plupart des personnes qui se sont, comme moi, jointes aux lamas ne savaient que peu de chose à propos de nourriture appropriée et de régime. Mais peu de temps après leur arrivée au monastère, elles montrèrent de merveilleux signes d'amélioration physique. Et cela était dû, au moins en partie, à leur régime. »

« Aucun lama n'est difficile quant à sa nourriture. Il ne peut l'être parce qu'il n'a pas le choix. Son régime consiste en une nourriture bonne et saine, mais il ne mange qu'une sorte d'aliment à chaque repas. Cela est en soi un grand secret de santé. En mangeant un seul aliment à la fois, il ne peut y avoir d'incompatibilités dans l'estomac. La nourriture se heurte dans l'estomac parce que les amidons se mélangent mal avec les protéines. Par exemple, si vous mangez du pain, qui est un féculent, avec des protéines comme la viande, les œufs ou le fromage, une réaction chimique est déclenchée dans l'estomac. Cela peut causer non seulement des gaz et autres désagréments physiques mais, avec le temps, contribuer à une diminution de vie, qualitativement et quantitativement. »

« Souvent, à la table des lamas, le repas se composait de pain seulement. D'autres fois, de fruits et légumes frais. Parfois aussi de fruits et légumes cuits. »

« Au début, j'avais envie de ma nourriture habituelle et de sa variété. Mais peu après, j'arrivais à déguster un repas composé seulement de pain noir ou d'une sorte de fruits. Parfois un repas comportant un seul légume prenait un air de fête. »

« Je ne vous suggère nullement de limiter votre nourriture à un seul aliment par repas ou même d'éliminer la viande de vos menus. Mais je vous recommande de séparer féculents, fruits et légumes de viande, poisson ou volaille au cours d'un même repas. Il n'est pas faux de manger un repas composé uniquement de viande, même si vous mélangez plusieurs sortes de viande. Il n'est pas faux de manger beurre, œufs et fromage avec un repas de viande, ou bien du pain noir et, si vous le désirez, du café ou du thé. Mais ne terminez pas votre repas avec un aliment sucré ou un féculent, c'est à dire gâteaux, biscuits ou puddings ».

« Le beurre semble un aliment neutre. Il peut être consommé avec un repas de féculents aussi bien qu'avec un repas de viande. Le lait se marie bien avec les amidons. Le café et le thé devraient toujours être pris noirs, jamais avec de la crème, même si un peu de sucre ne peut pas faire de mal. »

« La consommation appropriée des œufs est une autre chose très intéressante que j'ai apprise au cours de mon séjour au monastère. Les lamas ne mangeaient des œufs entiers qu'après avoir effectué un dur travail manuel. Dans ce cas, il arrive qu'ils prennent un œuf mollet entier. Par contre, ils mangeaient fréquemment des jaunes d'œufs crus, évitant le blanc. Au début, il me semblait que jeter aux poules des blancs d'œufs parfaitement comestibles était du gaspillage. Mais j'appris par la suite que le blanc d'œuf est mobilisé exclusivement par les muscles et ne devrait être consommé qu'en cas d'exercice musculaire. »

« J'ai toujours su que les jaunes d'œufs étaient nourrissants, mais je n'appris leur vraie valeur nutritive qu'après avoir parlé à un autre occidental au monastère. C'était un homme qui avait étudié la biochimie. Il m'expliqua qu'un simple œuf de poule contient la moitié des éléments requis par le cerveau, les nerfs et les organes. Il est vrai que ces éléments ne sont nécessaires qu'en petites quantités, mais ils doivent être inclus dans votre régime si vous voulez être exceptionnellement sain et vigoureux, aussi bien mentalement que physiquement. »

« Il y a une autre chose très importante que j'ai apprise des lamas. Ils m'ont enseigné la nécessité de manger lentement, non pas dans le but de respecter les bonnes manières, mais afin de mastiquer correctement la nourriture. Mastiquer est le premier pas pour que la nourriture soit dissoute et assimilée par le corps. Tout ce que l'on mange devrait être digéré dans la bouche avant d'être digéré dans l'estomac. Si vous ingurgitez votre nourriture en omettant cette démarche vitale, c'est de la dynamite qui arrive dans votre estomac. »

« Les protéines comme viande, poisson et volaille ont besoin de moins de mastication que les féculents, mais pourquoi ne pas les mastiquer aussi ? Plus la nourriture est mastiquée, plus elle est nourrissante. Par conséquent, si vous mastiquez votre nourriture correctement, vous pouvez en réduire la quantité, souvent jusqu'à la moitié.

Beaucoup de choses dont j'étais persuadé avant d'entrer au monastère me choquaient après mon départ deux ans plus tard. Une des premières que je remarquai en arrivant dans une des plus grandes villes d'Inde était la quantité impressionnante de nourriture consommée par ceux qui en avaient les moyens. J'ai vu un homme manger au cours d'un seul repas une quantité d'aliments qui aurait suffit à nourrir quatre lamas travaillant dur. Mais bien sûr, les lamas ne songeraient même pas à avaler des repas avec de telles combinaisons alimentaires.

Le problème me consternait aussi. Étant habitué à une ou deux sortes d'aliments par repas, j'étais stupéfait d'en compter vingt-trois au cours d'une invitation. Pas étonnant que les occidentaux aient une si mauvaise santé. Ils semblent tout ignorer de la relation entre alimentation, santé et vigueur.

« Une alimentation correcte, une combinaison alimentaire adéquate, une quantité de nourriture adaptée et une façon de manger saine : le tout donne des résultats remarquables. Si vous avez quelques kilos en trop, cela va vous aider à en perdre. Si vous en manquez, cela va vous aider à en gagner. Il y a beaucoup d'autres points concernant l'alimentation que je voudrais aborder, mais le temps est limité. Souvenez-vous simplement des cinq points suivants :

1. Ne mangez jamais féculents et viandes au cours du même repas, même si vous êtes en bonne santé et vigoureux, cela ne devrait pas être trop difficile pour vous maintenant.

2. Si le café vous incommode, buvez-le noir, sans lait ou crème. S'il continue à vous incommoder, n'en prenez plus.

3. Mastiquez votre nourriture jusqu'à ce qu'elle devienne liquide et diminuez la quantité de nourriture que vous absorbez.

4. Mangez des jaunes d'œufs une fois par jour. Prenez-les juste avant ou immédiatement après les repas, pas pendant.

5. Réduisez au maximum le nombre d'aliments au cours d'un même repas. »

Derniers Conseils du Colonel

« Un corps faible affaiblit l'esprit »
Jean-Jacques Rousseau

Le colonel Bradford s'adressait pour la dernière fois à l' «Himalaya Club » avant de reprendre sa route et de retourner dans sa Grande-Bretagne natale. Il avait choisi de développer différents sujets, autres que les cinq rites, qui pouvaient aider au processus de rajeunissement. Debout devant notre groupe, il nous apparaissait plus vif, plus alerte et plus vigoureux que jamais. Après son retour d'Inde, il donnait l'image de la perfection. Mais depuis, il n'avait pas cessé de se perfectionner et il continuait à s'améliorer.

« Tout d'abord, expliqua le colonel, je dois des excuses à toutes les femmes du groupe, parce que la plupart des choses que j'ai à dire ce soir s'adresse d'abord aux hommes. Bien sûr, les cinq rites sont, comme je vous l'ai dit précédemment, aussi bénéfiques pour les hommes que pour les femmes. Mais étant un homme moi-même, je voudrais parler d'un sujet masculin d'importance. »

« Je commencerai par parler de la voix masculine. Savez-vous que des experts peuvent mesurer la vitalité sexuelle d'un homme simplement en l'écoutant ? Nous avons tous entendu un jour ou l'autre la voix aigrelette et flûtée d'un homme d'âge avancé. Malheureusement, si la voix d'une personne vieillissante commence à changer dans ce sens, cela indique bien qu'une détérioration physique a commencé. Je vous explique. »

« Le cinquième vortex, à la base du cou, contrôle les cordes vocales et est aussi directement lié au premier vortex du niveau sexuel du corps. Bien sûr, tous les vortex sont reliés entre eux mais ces deux sont, en quelque sorte, soudés ensemble. Ce qui affecte l'un affectera l'autre. Par conséquent, si la voix d'un homme est aiguë et flûtée, cela indiquera que sa vitalité sexuelle est très basse. Et s'il y a peu d'énergie dans le premier vortex, vous pouvez parier qu'il en va de même pour les six autres. »

« Tout ce qu'il faut pour accélérer les premier et cinquième vortex, ainsi que les autres, est de pratiquer les cinq rites. Mais il y a une autre méthode que les hommes peuvent utiliser pour hâter ce processus. C'est vraiment très facile. Il suffit d'avoir la volonté de baisser la tonalité de votre voix. Écoutez-vous parler et si votre voix devient plus aiguë, ajustez le registre. Écoutez les hommes qui ont une bonne voix ferme et prenez note de ce son. Ensuite, quand vous parlez, gardez votre voix dans ce registre masculin le plus possible. »

« Un homme très âgé trouvera cela fort difficile, mais les résultats sont excellents. D'abord la basse vibration de votre voix accélérera le vortex à la base du cou. Celui-ci, à son tour, aidera l'accélération du vortex au niveau sexuel qui représente la porte d'accès à l'énergie vitale. Avec l'augmentation de ce flux d'énergie, la vitesse du vortex du cou augmentera de plus en plus, baissant ainsi la tonalité de la voix. »

« Il y a de jeunes hommes qui ont l'air robustes et virils maintenant mais, malheureusement, pas pour longtemps. La cause en est que leur voix n'a jamais complètement mûri, restant assez haut. Ces personnes-là, ainsi que les personnes âgées dont je vous parlais auparavant, pourront obtenir de merveilleux résultats s'ils essayent consciencieusement de baisser la tonalité de leur voix. Cela aidera les plus jeunes à préserver leur virilité, les plus âgés à la retrouver. »

« Il y a peu de temps, j'ai pris connaissance d'un excellent exercice pour la voix. Comme beaucoup de choses efficaces, il est aussi très simple. Quand vous êtes seul, ou si vous vous trouvez quelque part où il y a assez de bruit pour que votre voix ne dérange pas les autres, dites à voix basse, partiellement par le nez "Mimm-Mimm-Mimm-Mimm". Répétez plusieurs fois, en baissant le ton de votre voix graduellement jusqu'au point le plus bas possible. Cet exercice se révèle particulièrement efficace le matin quand le ton de la voix a déjà tendance à être bas. Ensuite, efforcez-vous de garder votre voix le plus bas possible durant toute la journée. »

« En progressant, pratiquez dans votre salle de bains pour mieux percevoir les vibrations de votre voix. Par la suite, essayez d'obtenir les mêmes résultats dans une pièce plus grande. L'intensification des vibrations de votre voix accélérant les autres vortex, surtout le premier au niveau sexuel, ainsi que le sixième et le septième dans la tête. »

« Avec l'âge, la voix des femmes peut devenir aussi aiguë et flûtée et elles peuvent utiliser les mêmes moyens. Bien sûr, la voix d'une femme est naturellement plus haute que celle d'un homme et les femmes ne devraient pas baisser le ton de leur voix jusqu'à ce qu'elle devienne masculine. Au contraire, pour une femme qui a une voix particulièrement masculine, il serait utile de la hausser en utilisant la même méthode. »

« Les lamas chantent à l'unisson, parfois durant des heures, dans un registre assez bas. L'important n'est pas le chant en soi ou la signification des paroles, mais la vibration de leurs voix et l'effet sur leurs sept vortex. Il y a des milliers d'années que les lamas ont découvert la qualité vibratoire du son "Ohmmm..." qui est très puissant et efficace. Les hommes aussi bien que les femmes trouveront certainement très bénéfique de chanter ce son plusieurs fois tous les matins et, mieux encore, de le répéter durant la journée chaque fois que cela est possible. »

« Debout, remplissez complètement vos poumons d'air et expirez ensuite lentement en créant le son "Oh-mmm...". Expirez la moitié environ sur "Ohhh..." et l'autre moitié sur "Mmmm...". Sentez le "Ohhh..." vibrer dans toutes les cavités de la poitrine et le "Mmmm..." dans les cavités nasales. Ce simple exercice aide grandement à harmoniser les sept vortex et vous pourrez sentir ses bienfaits dès le début. N'oubliez pas, c'est la vibration qui est importante, pas l'acte de chanter ni la signification du son. »

« Bien, dit le colonel après une courte pause, tout ce que je vous ai enseigné jusqu'à présent concerne les sept vortex. Mais j'aimerais vous entretenir d'autres choses qui peuvent nous rajeunir tous, même si elles n'affectent pas directement ces tourbillons d'énergie. »

« S'il était possible de sortir un homme ou un femme âgée de leur corps et de les transférer dans un corps jeune d'environ 25 ans, vous verriez qu'ils continueraient à agir en "vieux", en gardant les mêmes attitudes qui précisément les ont vieillis. »

« Même si la plupart des gens se plaignent de prendre de l'âge, la vérité est que, vieillir, avec tous les désavantages que cela comporte, leur donne un plaisir équivoque. Il est inutile de dire que cette attitude ne les rajeunira point. Si une personne âgée souhaite sincèrement rajeunir, alors elle doit penser, agir et se comporter comme une personne jeune et éliminer les attitudes et le maniérisme de la vieillesse. »

« La première chose est de faire attention à votre posture. Tenez-vous droit ! Au début de ce cours, quelques-uns d'entre vous étaient si courbés qu'ils ressemblaient à des points d'interrogation. Mais au fur et à mesure que votre vitalité revenait et que votre entrain s'améliorait, votre posture s'améliorait aussi. C'est très bien, mais n'arrêtez pas là. Pensez à votre posture pendant vos activités quotidiennes. Gardez le dos droit, avancez la poitrine, rentrez votre menton et gardez la tête haute. Vous aurez tout de suite enlevé 20 ans à votre apparence et 40 ans à votre comportement. »

« Débarrassez-vous aussi du maniérisme de la vieillesse. Si vous marchez, sachez d'abord où vous allez et ensuite allez-y directement. Ne marchez pas d'un pas traînant ; levez les pieds et marchez fermement. Gardez un œil sur l'endroit où vous allez et un autre sur tout ce que vous rencontrez. »

« Au monastère de l'Himalaya il y avait un homme, un occidental comme moi, auquel vous n'auriez pas donné plus de 35 ans et qui agissait comme un homme de 25 ans. Il avait pourtant plus de 100 ans. Si je vous disais combien d'années au dessus de cent, vous ne me croiriez pas. »

« Pour réaliser un miracle pareil, il faut d'abord le vouloir. Vous devez accepter non seulement l'idée que cela est possible, mais aussi que vous y arriverez. Aussi longtemps que le fait de rajeunir vous paraît un rêve impossible, cela ne restera qu'un rêve impossible. Mais à l'instant où vous saisissez la merveilleuse réalité qu'effectivement vous pouvez rajeunir d'apparence, de santé et d'attitude et dès que vous concentrez votre énergie sur cette réalité à atteindre, vous avez déjà pris votre première gorgée des eaux curatives de la « Fontaine de Jouvence ».

« Les cinq rites que je vous ai enseignés sont l'outil, le moyen vous donnant la possibilité d'accomplir votre miracle personnel. Après tout, ce sont les choses simples de la vie qui sont les plus puissantes et les plus efficaces. Si vous continuez à pratiquer ces rites au mieux de vos possibilités, vous serez grandement récompensés. »

« Il m'a été très agréable de constater vos progrès jour après jour, termina le colonel. Je vous ai enseigné tout ce que j'ai pu pour le moment. L'action continue des cinq rites vous ouvrira des passages à d'autres enseignements et d'autres progrès dans le futur. D'autres personnes souhaitent recevoir l'enseignement que je vous ai donné, aussi est-il temps maintenant que j'aille les voir. »

« Après cela, le colonel nous fit ses adieux. Cet homme extraordinaire prenait une place toute particulière dans nos cœurs et nous regrettions de le voir partir. Mais d'un autre côté, nous nous réjouissions à l'idée que d'autres allaient bientôt bénéficier de cet enseignement sans prix qu'il nous avait si généreusement offert. En effet, nous nous sentions comblés. Parce que rares sont ceux, dans toute l'Histoire, qui ont eu le privilège de connaître l'ancien secret de la "Fontaine de Jouvence". »

Deuxième Partie

Un médecin commente « Les Cinq Tibétains »

Par le docteur Christian Tal Schaller

A la suite de la première édition de ce livre, nous avons reçu de nombreuses lettres de personnes enthousiastes qui, après quelques semaines de pratique des exercices tibétains, ont vu leur état de santé physique et psychique s'améliorer de façon spectaculaire. Pour beaucoup de gens, il est étonnant de découvrir qu'il est possible de freiner le processus du vieillissement et de commencer à rajeunir ! Notre éducation et notre culture occidentales nous ont fait prendre le normal pour le naturel. Nous avons cru que nous devions vieillir parce que telle est la norme de notre société. Pourtant vieillir n'est pas naturel. Avancer en âge, oui, mais devenir un être limité dans ses mouvements et souffrant de mille maux n'est absolument pas une obligation imposée par la nature. Il s'agit simplement du résultat d'un mode de vie artificiel et déséquilibré. Pour ceux qui désirent se délivrer de la souffrance, de la maladie et de la vieillesse et ainsi vivre jeune et en bonne santé à tout âge, les exercices tibétains représentent une véritable baguette magique. L'un des éléments les plus frappants qui ressort des lettres que nous avons reçues est que les exercices tibétains sont suffisamment faciles à faire et donnent des résultats assez rapides pour susciter l'enthousiasme et le désir de continuer. Nombre de lecteurs nous disent qu'ils avaient, dans le passé, essayé de faire de la gymnastique, du yoga ou de la méditation mais que, bien souvent, ils n'avaient pas réussi à persévérer plus de quelques jours ou quelques semaines.

Au début, les deux premières semaines, pratiquez chaque exercice seulement trois fois. Cela est important pour vous familiariser avec une nouvelle conscience de votre corps. Vous pourrez augmenter ensuite progressivement, selon vos possibilités. (En cas de grossesse ou de problèmes de dos, soyez très attentif à votre corps et ne forcez jamais.)

Avec les exercices tibétains, cinq minutes par jour suffisent donc pour donner, au bout de trois à quatre semaines, des résultats incontestables et cela crée une motivation puissante pour continuer. Il serait fastidieux d'énumérer tous les résultats positifs obtenus : ils vont de l'amélioration, voire de la guérison, de maladies chroniques dégénératives à la disparition de toutes sortes de symptômes banals comme l'insomnie, l'allergie, la fatigue, les troubles digestifs, les troubles sexuels, le manque de mémoire, la dépression, la frilosité, l'eczéma et les troubles de la peau, etc.

En fait, le plus convaincant n'est pas de lire les extraordinaires aventures d'autres personnes avec ces exercices, mais bien de devenir soi-même cette personne à laquelle il arrive des choses extraordinaires !

En même temps que la pratique quotidienne, ou même biquotidienne, des exercices tibétains, il est précieux de mettre en place un programme de modification des habitudes de vie pour augmenter son énergie physique, émotionnelle, mentale et spirituelle. Une alimentation végétale, variée et vivante, associée à davantage d'exercice physique, à un travail de défoulement des émotions négatives, de pensée positive, de visualisation et de communication avec son moi supérieur, tout cela forme une synergie qui va accroître l'effet des exercices. On peut en fait choisir deux attitudes : ne pratiquer que les exercices tibétains pour avoir une idée claire de leur effet sur notre bien-être sans interférence d'autres techniques ou, si on veut aller plus vite, pratiquer en même temps toute une palette de moyens de santé complémentaires les uns des autres.

Dans les deux cas, il s'agit de progresser sur le chemin de la santé et de la vie au naturel d'une manière constamment agréable. On apprend infiniment mieux en s'amusant qu'en souffrant !

Quelques personnes nous ont écrit pour nous demander des précisions concernant la façon de respirer pendant les exercices. Plutôt que d'appliquer une technique apprise intellectuellement, nous vous suggérons d'être à l'écoute de votre corps : celui-ci va automatiquement choisir la respiration la plus appropriée à chaque exercice. N'oubliez pas que votre corps dispose d'une sagesse colossale et sait parfaitement respirer. Point n'est besoin de lui imposer une discipline rigide. Si vous commencez les exercices en étant stressé ou fatigué, le premier rite vous mettra presque instantanément dans un état de détente et de bien-être qui vous permettra, pour les exercices suivants, de ne pas bloquer votre respiration, de laisser les ajustements naturels se faire sans aucune difficulté.

Voyons quelques éléments qui ressortent de l'expérience acquise par nos lecteurs à propos de chacun des exercices :

Premier exercice : appelé par beaucoup l'exercice du « derviche tourneur », ce mouvement montre avec précision le niveau d'intoxication d'une personne : lorsqu'on est très intoxiqué, le vertige survient après quelques tours seulement. Au fur et à mesure de la pratique, on peut tourner davantage et, lorsque le corps est bien régénéré et dépollué, on peut tourner sur soi-même à une grande vitesse aussi longtemps qu'on veut. On peut pratiquer cet exercice plusieurs fois dans la journée, dès que l'on sent un peu de fatigue ou de baisse d'énergie. Plusieurs lecteurs nous ont fait part de leurs résultats remarquables, obtenus dans l'arrêt de toxicomanies diverses (cigarettes, café, médicaments, etc.) en pratiquant cet exercice quand l'envie de la substance qui était devenue une drogue se faisait sentir. En stimulant naturellement la circulation d'énergie dans le corps, il devenait facile de se passer d'une stimulation artificielle. Tous les enfants du monde, dans leurs jeux, pratiquent ce mouvement et stimulent ainsi leur énergie vitale. Peut-on imaginer que, dans un proche futur, on remplacera les bureaux de tabac et les cafés par des lieux où l'on pourra tourner sur soi-même en écoutant de la musique ?

Un enseignant nous fait part de son expérience avec des collégiens de quatorze ans : chaque fois que le niveau d'attention baissait et que la nervosité augmentait, il proposait aux élèves de se lever, de faire quelques tours sur eux-mêmes avant de se rasseoir. Les résultats, nous dit-il, ont été exceptionnels et les élèves lui ont été très reconnaissants de partager avec eux un moyen aussi élégant et peu coûteux de retrouver la pleine forme en quelques secondes. Les soufis, qui utilisent ce mouvement dans un but d'élévation spirituelle, dansent avec une main tournée vers la terre et l'autre vers le ciel. Néanmoins il semble que, pour une pratique quotidienne, avoir les deux paumes tournées vers le bas soit préférable pour se charger des énergies terrestres.

Deuxième exercice : certaines personnes ayant des douleurs dorsales ont de la peine au début à lever les jambes et la tête en même temps. Il s'agit de ne pas forcer mais de persévérer chaque jour. C'est la régularité qui permet, peu à peu, d'assouplir la colonne vertébrale et de lever les jambes. Cet exercice tonifie la musculature abdominale et facilite la disparition de l'obésité abdominale. Pratiquez sur un tapis moelleux ou une serviette de bain pliée en quatre afin de ne pas souffrir d'un contact trop dur avec le sol.

Troisième exercice : il est agréable de mettre sous les genoux un tapis ou une serviette pliée en quatre. Attention à ne pas allonger les pieds à plat sur le sol mais bien de recourber les orteils vers l'avant. L'efficacité de l'exercice dépend en grande partie de cette position qui stimule la circulation d'énergie jusqu'au bout des pieds. En penchant vers l'avant et vers l'arrière, on veillera à aller le plus loin possible sans douleur, en suivant le mouvement avec les yeux : les yeux regardent vers le bas lors de la flexion avant et regardent vers le haut et en arrière lors de la flexion arrière.

Cet exercice est particulièrement efficace pour stimuler le chakra de la gorge qui commande la glande thyroïde. Dans notre société moderne, de nombreux troubles de santé viennent du fait que la personne n'exprime pas ses besoins profonds. Ce qui n'est pas exprimé par des mots se transforme en maux. Le blocage de ce centre d'énergie entraîne une diminution de la fonction thyroïdienne dont l'effet immédiat est un sentiment de fatigue physique et de dépression psychique. Ce mouvement permet de retrouver à la fois de la vitalité physique et de la bonne humeur psychique.

Quatrième exercice : en pratiquant cet exercice, il est important de contracter au maximum tous les muscles du corps, y compris ceux du visage et des yeux. Cette contraction isométrique (c'est-à-dire sans changement de la longueur du muscle) donne une stimulation intense à tout l'appareil neuro-musculaire. La pratique de cet exercice peut être difficile au début chez des personnes souffrant de rhumatismes. En persévérant, on parvient à gagner du terrain. Un lecteur nous a écrit qu'au début il n'arrivait à lever les fesses qu'à cinq centimètres au-dessus du sol. Après deux mois de pratique, il avait gagné vingt-cinq centimètres.

Cinquième exercice : ce mouvement, qui a des points communs avec la célèbre salutation au soleil pratiquée par les yogis depuis des millénaires, a un pouvoir de revitalisation exceptionnel. Il existe une très jolie anecdote au sujet de la salutation au soleil, anecdote qui pourrait très bien s'appliquer aux rites des lamas tibétains. Il y a quelques siècles, l'un des rois du Nord de l'Inde souffrait de toutes sortes de maladies que les médecins n'arrivaient pas à guérir. Un jour, désespéré, il se fit conduire chez un sage réputé qui lui expliqua que la guérison n'était pas le fruit de traitements médicaux, mais un processus naturel qui survenait spontanément lorsque l'individu l'appelait. Et il lui fit comprendre que pour l'appeler, il devait pratiquer cette salutation au soleil tous les matins en augmentant peu à peu le nombre d'exercices pratiqués chaque jour. Le roi commença aussitôt. Les premiers jours, il était épuisé après une ou deux salutations au soleil mais, peu à peu, il put en faire davantage et retrouva la santé qu'il avait perdue. Lorsqu'il arriva au point de pratiquer une centaine de salutations au soleil chaque matin, son corps avait retrouvé la vitalité de sa jeunesse et le roi se mit en devoir d'enseigner à tous ses sujets la pratique matinale de cet exercice. L'histoire raconte que tant que dura son règne, la vie quotidienne des sujets de ce royaume ne fut qu'un grand ciel bleu jamais obscurci par les nuages noirs de la maladie.

Sixième exercice : telle qu'elle est présentée dans le livre de Peter Kelder, cette pratique peut sembler n'être réservée qu'à ceux qui ont choisi une vie de célibat ! En fait, cet exercice, qui stimule l'énergie sexuelle pour l'utiliser dans la régénération du corps physique, est décrit dans les ouvrages de médecine taoïste et il serait dommage que ceux qui ont choisi d'avoir une vie sexuelle croient devoir renoncer à le pratiquer ! Les médecines traditionnelles de nombreux pays du monde et les grands courants de sagesse nous montrent qu'il y a deux chemins possibles pour rester jeune : l'un consiste à choisir le célibat et à faire circuler les énergies sexuelles à l'intérieur du corps et l'autre consiste à avoir une activité sexuelle avec un partenaire. Ces deux chemins existent et il serait regrettable que ceux qui choisissent l'un se mettent en position de supériorité en prétendant que l'autre voie est « moins bonne ». Délivrons-nous de la dualité et du jugement et comprenons que le chemin du bonheur et de la santé est individuel. Ce qui nous convient ne convient pas forcément à un autre. L'important est de trouver son chemin personnel sans condamner ceux qui en ont choisi un différent.

L'un des moyens efficace et simple de stimuler l'énergie sexuelle, qui est l'énergie de revitalisation du corps, consiste à expirer profondément puis à pratiquer une pause, poumons vides, et à faire rentrer le ventre (comme si l'on voulait toucher les vertèbres avec la peau du ventre) ; pendant cette pause, il est utile de pratiquer des contractions rapides des muscles des fesses, de l'anus, du périnée et des organes sexuels. Puis on inspire tranquillement et on recommence. Ce simple exercice provoque une très intense stimulation de la circulation dans les organes sexuels et permet d'éviter les troubles dus au vieillissement.

L'un des meilleurs moyens pour pratiquer régulièrement les exercices tibétains consiste à les enseigner ! Si vous créez en effet un petit groupe qui se réunit une fois par semaine ou par mois pour échanger les expériences de chacun, vous serez encouragé dans votre pratique personnelle. Dans ce but, proposez à quelques amis ou connaissances de faire une période d'essai d'un ou deux mois avec vous. Chacun s'engage à pratiquer les exercices une ou deux fois par jour et, à chacune des rencontres vous les pratiquez en commun, afin de vous corriger les uns les autres s'il y a lieu, puis vous ouvrez un temps d'échange sur ce que chacun a observé dans sa vie quotidienne. Vous pouvez continuer la soirée par le partage d'autres techniques de santé, puis par un moment de détente en commun, avec une musique douce ou un voyage intérieur dirigé, afin que chacun reparte nourri et stimulé à continuer sa pratique quotidienne.

Des groupes de ce genre se sont constitués dans plusieurs pays et il est passionnant de voir les résultats positifs obtenus par la rencontre de gens qui, plutôt que de passer leur temps à se plaindre et attendre que les autres changent, se réunissent avec une intention commune, celle de progresser vers la santé, le bien-être et la créativité.

Pour manifester avec force cette intention commune, il est utile de commencer et de terminer la rencontre par un cercle. Les participants se tiennent debout, en rond, et se donnent la main. Tout en relâchant bien les épaules et les coudes, ils respirent plusieurs fois profondément en sentant leur axe vertical, voire en s'imaginant être un arbre dans la forêt, avec de grandes racines permettant de puiser l'énergie de la terre et de la laisser monter dans le corps. Puis l'attention est mise sur l'énergie qui circule dans le cercle, chaque participant recevant de l'énergie par la main gauche et en donnant par la main droite. L'animateur affirme alors l'intention commune qui va être mise au centre du cercle et former comme le moyeu d'une roue. Avec quelques mots simples, il affirmera que cette rencontre est faite dans un esprit de non-jugement, de partage et d'amitié. Il est utile ensuite de demander aux participants de mettre au centre du cercle tous ceux qu'ils aiment ou dont ils ont la charge, puis de s'imaginer eux-mêmes au centre du cercle, recevant le soutien de tout le groupe. Cet exercice, qui peut être pratiqué debout ou allongé sur le sol avec les têtes vers le centre et les mains qui se touchent (en formant une sorte d'étoile), permet de créer un niveau de communication chaleureux, où chacun se sent apprécié dans son originalité personnelle.

Dans des entreprises ou des institutions, des membres du personnel ont proposé de commencer la journée par la pratique des exercices tibétains et cette initiative a souvent rencontré un vif succès. Par leur simplicité et leur efficacité, les exercices tibétains pourraient devenir aux entreprises occidentales ce que le tai-chi est aux entreprises chinoises : un moyen précieux de commencer la journée avec dynamisme et vitalité. Voici ce que nous écrit une lectrice de quatre-vingt quatre ans : « Je suis dans une maison pour personnes âgées. Lorsque mon petit-fils m'a offert votre livre en me disant que je pouvais rajeunir, j'ai cru tout d'abord qu'il plaisantait. J'étais captivée par le récit mais restait très sceptique sur la possibilité de véritablement devenir plus jeune. Malgré tout, j'ai décidé d'essayer. Au début je ne pouvais pratiquer les exercices que très imparfaitement, mais force m'a été de voir qu'au bout de quelques semaines j'avais beaucoup plus d'énergie et d'entrain. Ma tête était plus claire et j'ai pu dormir sans somnifère. Pendant les trois premiers mois, j'ai gardé mon mode de vie habituel, tout en consacrant quelques minutes le matin et le soir aux cinq rites. J'ai remarqué que mon appétit avait changé : j'étais de plus en plus attirée par les fruits et légumes crus et la quantité d'aliments que je mangeais a diminué sans aucun effort de ma part. Lorsque j'ai commencé, j'étais essoufflée après cinq minutes de marche, mais j'ai remarqué que de jour en jour je pouvais marcher plus longtemps et plus vite. Après trois mois de pratique, j'avais obtenu des résultats tellement étonnants que d'autres personnes de l'établissement dans lequel je vis ont voulu essayer elles aussi et nous sommes devenus une véritable université où chacun expérimente telle ou telle méthode de santé et en parle aux autres dans des réunions que nous organisons régulièrement. Avant, nos parents et nos proches venaient nous voir par devoir. Maintenant ils viennent par plaisir car nous avons beaucoup d'aventures vécues passionnantes à partager avec eux. Le médecin de l'établissement nous a même dit récemment qu'avant il venait seulement nous soigner, alors que maintenant il vient aussi s'instruire et découvrir avec nous les étonnantes ressources des êtres humains ! »

Les Conseils d'un professeur de yoga

Par Michel Petitgonnet (Shekhar) qui enseigne différentes formes de yoga depuis 20 ans.

Les cinq exercices dont il est question ici nous mettent en présence d'une très ancienne tradition : on fusionne la connaissance intime de l'énergétique chinoise avec le sens extraordinaire du rythme et du mouvement des Tibétains. Si l'on ajoute le sens du souffle qui accompagne l'expérience, il est plus facile de comprendre la merveilleuse efficacité de ces pratiques.

« Pour parvenir à la Connaissance il faut 40.000 fois 400 vies ou... une seconde de compréhension ! », me disait mon enseignant. C'est dans ce sens qu'il faut aborder ces exercices... la durée n'a pas vraiment grande importance au regard de l'intensité du vécu.

A l'écoute de mon corps je vais « danser » ces mouvements en variant intensité et vitesse selon mon état et le but que je me propose (la pratique du matin est forcément plus puissante et dynamisante que celle du soir où les mêmes mouvements vont me permettre d'harmoniser et apaiser les énergies pour préparer un repos de qualité).

Un mot au sujet de la respiration en « ujjyai » qui donne une tonalité plus forte à la pratique : en fermant légèrement le pharynx, je vais filtrer le passage de l'air, produisant un léger son (qui ne doit en aucun cas irriter la gorge). Si le mental est très agité, ce son peut se formuler intérieurement en pensant ceci : inspir « So », expir « Ham ».

Voici quelques conseils spécifiques pour chaque exercice :

Premier exercice : tourner dans le sens des aiguilles d'une montre. Commencer doucement, bien centré sur le souffle dans son ventre, donner de l'intensité et revenir progressivement à l'immobilité, toujours centré sur le ventre et le souffle apaisé.

Cet exercice ne présente pas de réelles difficultés et est un excellent baromètre de notre niveau de toxémie... ne pas s'inquiéter au début et persévérer (rien ne résiste à la pratique quotidienne).

Deuxième exercice : il demande une bonne sangle abdominale et un minimum de conscience du bassin pour protéger les vertèbres lombaires. Sur le dos - relever un peu les genoux, pieds au sol - plaquer les lombaires au sol autant que possible et tenir le ventre court et tonique pendant toute la durée de l'exercice - ne lever et n'abaisser les jambes tendues que si on est sûr de ne rien concéder de la position corrigée du bassin - sinon plier plus ou moins les jambes en attendant d'acquérir force et conscience au niveau du ventre.

Troisième exercice : à genoux, orteils rentrés vers l'avant. La colonne vertébrale, souple comme une liane, va osciller et onduler d'avant en arrière. Le moteur du mouvement est le bassin qui bascule autour des têtes du fémur dans un cambré-décambré doux et progressif. Conscience dans le ventre et le souffle. Trouvez graduellement vitesse et intensité (une bonne indication de réussite est une sensation de douce chaleur qui « coule » dans toute la colonne vertébrale pour le reste de la journée).

Épaules relâchées, bras ballants, le haut du dos s'ouvre et se ferme alternativement. Jouez avec le mouvement, d'abord doucement puis le rythme croît et décroît sur la fin.

Quatrième exercice : c'est le moment de « dresser la table » en amenant le tronc à l'horizontale, alterner tension et relâchement entre deux montées, le souffle accompagne, la conscience est dans le bassin tenu court devant, on pousse les aines vers le plafond, ventre toujours rentré.

Cinquième exercice : « Namaskar », littéralement : salutation. C'est la partie centrale d'un célèbre enchaînement de hatha-yoga appelé salutation au soleil, « Suryanamascar » (Surya = Soleil, Namascar = salutation).

La position de départ en V renversé est l'occasion d'étirer bras, jambes (en abaissant les talons vers le sol) et dos, en somme toutes les parties postérieures du corps : descendre sur les coudes parallèles qui se posent au sol, puis le front (nuque longue et menton rentré), on soulève les coudes dans une reptation vers l'avant jusqu'à ce que le buste soit allongé (pendant tout ce temps les jambes sont restées tendues), puis le haut du corps se redresse (cobra) et se creuse entre les épaules ; on repasse ensuite à la position de départ en levant les fessiers vers le plafond. L'ensemble de cet exercice demande de bons bras que vous allez acquérir en pratiquant - au début on peut plier les jambes en descendant et poser les genoux au sol... ce n'est cependant qu'une béquille en attendant la capacité de mieux faire.

Je vous souhaite beaucoup de joie à la découverte de ces exercices et, quel que soit votre âge n'oubliez pas que « Dieu aime la jeunesse !».

Les Editions Vivez Soleil

Beaucoup de gens croient que la maladie survient par hasard et que la santé consiste surtout à vivre comme un ascète en se privant des plaisirs de la vie ! Au fil des livres et cassettes des Éditions Vivez Soleil une autre vision émerge. Oui, il est possible de sortir de l'ignorance, de la peur et de la maladie sans se priver ni se marginaliser. Oui, la santé, ça s'apprend !

Par une démarche personnelle d'information et d'expériences agréables et intéressantes, chacun peut sortir de la prison des habitudes et trouver l'équilibre du corps, du cœur, de la tête et de l'âme qui mène vers le bien-être, l'enthousiasme, la créativité et le bonheur.

A travers leurs collections SANTÉ, DÉVELOPPEMENT PERSONNEL, COMMUNICATION SPIRITUELLE, LES PERLES DE L'ÂME, EXPÉRIENCE VÉCUE, LES POCHES, les Éditions Vivez Soleil présentent les moyens les plus efficaces pour gérer sa vie et sa santé avec succès. Elles montrent la complémentarité de toutes les écoles de pensée et œuvrent pour une société plus harmonieuse, plus agréable à vivre, où la compétition est remplacée par la collaboration, le stress par l'humour et l'amour du pouvoir par le pouvoir de l'amour.

Un extrait de notre catalogue dans la même collection

GRAINES GERMEES, Santé, vitalité, beauté

Docteur Christian Tal Schaller

Ce livre va vous permettre de faire des économies en diminuant de manière impressionnante votre budget alimentation et vos frais médicaux ! En effet, en apprenant à utiliser les fantastiques ressources de santé des graines germées et des jeunes pousses, vous pouvez sortir de l'emprise de la maladie pour accroître sans cesse votre capital-santé, beauté et jeunesse.

Les graines germées, par leur richesse en vitamines, enzymes et substances biologiques vivantes, permettent de combler les carences induites par les aliments industriels modernes. Faciles à préparer et délicieuses à manger, elles constituent un véritable trésor.
Ce livre explique en détail comment faire germer des graines et cultiver des jeunes pousses et montre de quel manière ces aliments vivants peuvent transformer votre vie. Est-ce trop beau pour être vrai ?
Lisez et faites l'expérience d'une cure de graines germées de quelques jours.

160 pages

L'ALIMENTATION VIVANTE
Michèle KAREN
Un festival de couleurs et de saveurs à découvrir. Offrir à son corps des aliments vivants, purifiants et énergétiques, c'est vous assurer une forme à toute épreuve et une clarté d'esprit dont vous serez étonné.
La cuisine vivante est un jeu créatif. Vous devenez le chef d'orchestre d'une symphonie végétale. Le guide de Michèle Karen vous accompagnera dans toutes les étapes de cette

démarche. Tout naturellement, votre vie quotidienne deviendra harmonie.

216 pages - photos couleurs

ALIMENTATION, SCIENCE ET SPIRITUALITE

Docteur Gabriel COUSENS

Pour entrer en pleine forme dans le XXIème siècle ! Cet ouvrage est devenu d'emblée un classique. Il explique avec clarté les fondements de la nouvelle diététique américaine, qui prend le contrepied d'une alimentation industrielle génératrice de souffrances et de maladies. Il propose une façon de se nourrir permettant la santé du corps et le développement des capacités spirituelles de l'être humain.

En faisant la synthèse des enseignements spirituels universels et des découvertes les plus récentes de la science, l'auteur montre comment l'alimentation consciente peut devenir un extraordinaire outil d'épanouissement personnel sur tous les plans.

400 pages - Illustré

HYGIENE INTESTINALE

Docteur C.T. Schaller et son équipe

Sensation de bien-être et de légèreté, régulation du poids, stimulation des facultés intellectuelles, amélioration des états inflammatoires, effet de rajeunissement par élimination des toxines... Les résultats bénéfiques de l'hygiène intestinale sont multiples et se manifestent très vite.

Ce livre pratique passe en revue les diverses techniques de nettoyage du côlon et de l'intestin grêle et donne leur mode d'emploi précis. Découvrez l'une des clés de la grande forme.

144 pages

AMAROLI

Ludmilla de Bardo, Françoise Schaller-Nitelet, Johanne Razanamahay, Dr Christian Tal Schaller, Kiran Vyas

Une extraordinaire méthode de santé, totalement gratuite, expérimentée avec succès depuis des millénaires, pratiquée par des millions de gens dans le monde... et presque oubliée en Occident !

Amaroli est l'un des secrets de santé les plus anciens de l'humanité. C'est une méthode gratuite qui permet de sortir rapidement de la maladie pour vivre en pleine santé. Essayez Amaroli et vous découvrirez une autre relation avec vous-même, vous comprendrez que votre corps contient le médecin et le pharmacien les plus extraordinaires qui soient ! Utilisée par les peuples du monde entier et à toutes les époques de l'histoire, Amaroli est aussi une thérapeutique qui a accumulé de nombreuses preuves scientifiques de son efficacité.
Ce livre est l'aboutissement de plus de vingt ans de recherches. Outre une présentation générale avec une mise en pratique, vous trouverez des réponses aux questions les plus courantes, de nombreux témoignages et des extraits des principaux livres traitant ce sujet.

224 pages

APPRENDRE A SE DETOXIQUER

Docteur SOLEIL

Ne subissez plus les effets négatifs de la pollution qui menace votre corps. Agissez en apprenant à connaître des moyens simples qui vous délivreront des troubles de la santé et vous feront découvrir le plaisir d'être en super forme ! Découvrez les trésors des diètes de détoxication : le jeûne, les cures de jus de fruits et de légumes, la potion magique, les ressources des lavements intestinaux, bains, exercices physiques, techniques de détente et moyens naturels de régénération... Retrouvez une nouvelle jeunesse !

144 pages

MANGER "SOLEIL"

Docteur Soleil

Une cuisine saine constitue l'une des étapes majeures dans la recherche du mieux-être. Voici des recettes pour préparer des graines germées et jeunes pousses, mais aussi des fruits, des légumes, des végétaux sauvages, des algues, des oléagineux, des fruits secs et des produits lacto-fermentés. Pour des idées de repas équilibrés, originaux et délicieux.

144 pages / illustré

APPRENDRE A SE NOURRIR

Docteur Soleil

Sous une forme attrayante, toutes les informations pour une alimentation vivante et variée, libérée de la contrainte de régimes rigoureux. Ce livre propose une classification qui permet d'évaluer les aliments selon leur degré de vitalité. Un livre-clé pour découvrir le bien-être d'un organisme régénéré.

176 pages / illustré

DELIVREZ-VOUS DE VOS RHUMATISMES

Guide pratique

Docteur Christian Tal Schaller et Pierre Ruel

Puisque vous avez pris ce livre en main, il faut croire que vous souffrez vous-même de l'affection mentionnée sur sa couverture (ou que l'un de vos proches en est la victime). Dans ce cas, il sera effectivement très utile que vous le lisiez. Cependant attention : il existe au minimum quatre excellentes raisons de ne pas le lire !

1° Si votre confiance dans le système médical en place (médecin, hôpital, pharmacien, etc.) est telle que vous vous interdisez de regarder dans d'autres directions, ne lisez pas ce livre !

2° Si vous êtes à la recherche de la Vérité (la seule, la vraie, l'unique !) afin de vous y rallier sans condition, ne lisez pas ce livre !

3° Si vous ne supportez pas les constatations dérangeantes, les questions impertinentes, les déclarations choquantes, bref les idées qui "décoiffent", ne lisez pas ce livre !
4° Enfin, si vous êtes convaincu que votre "être", c'est uniquement ce corps dont les mains tiennent en ce moment un livre, avec un intellect pour lire les signes alignés sur ses pages et, à la sortie du magasin, pour vérifier la monnaie, ne lisez pas ce livre !
Car vous risqueriez d'être surpris, choqué, ébranlé dans vos croyances, perturbé dans vos habitudes vie. Pire ! Vous le serez certainement.

192 pages

100 CONSEILS POUR VIVRE CENT ANS

Charles B. Inlander & Marie Hodge

Vivre jusqu'à cent ans et plus, c'est possible ! Si vous désirez atteindre cet objectif, il existe un certain nombre de règles qu'il est bon de connaître pour rester en bonne santé le plus longtemps possible. Ce livre est le fruit d'une véritable enquête que les auteurs ont menée auprès de nombreux centenaires afin de comprendre leurs secrets de longévité. Ils ont

également rassemblé les meilleures études médicales et scientifiques sur le sujet.
100 CONSEILS POUR VIVRE CENT ANS vous propose une mine de conseils d'une simplicité surprenante. Certes, l'alimentation, l'exercice et l'attitude d'esprit sont des facteurs déterminant de notre longévité et ils figurent en bonne place dans ce guide, mais il est nécessaire de prendre en compte l'importance de l'hérédité, ne pas oublier sa sécurité : au travail (métiers "à risques"), les problèmes dûs à l'environnement, les soins médicaux, etc.
En suivant ces "100 conseils", vous mettrez toutes les chances de votre côté pour accroître votre longévité.

256 pages

LES DENTS-LUMIERE

Dr Yves Gauthier

D'anciens textes chinois associent nos dents, auxquelles nous devons l'éclat de notre sourire, aux étoiles qui brillent la nuit dans le ciel.
Ces “étoiles” de notre bouche influencent grandement notre bien-être. Nous découvrons toute l'importance de la dent qui fait partie des

organes de notre corps et dont notre santé dépend.
La nouvelle médecine dentaire holistique aborde le patient dans sa totalité. Soigner la dent représente un dialogue avec l'être tout entier. L'action du dentiste tend donc vers une harmonisation globale du patient.
Une modification douce, progressive du choix des aliments fait partie des mesures importantes pour une prévention bucco-dentaire efficace. Une bonne santé dentaire reflète une bonne santé globale.
Yves Gauthier, docteur en chirurgie dentaire, s'est formé en sophrologie, en homéopathie dentaire et en médecine chinoise traditionnelle. Son approche holistique (globale) de la santé l'amène à intégrer les soins dentaires dans la chaîne des thérapies utiles aux processus de guérison.

248 pages

Achevé d'imprimer
sur les presses de
S.N. imb IMPRIMEUR
70000 Vesoul
Juin 2000

Imprimé en France